J'apprends
à lire
avec Sami

CW00525584

Sami et Julie
fêtent Halloween

Emmanuelle Massonaud

hachette
ÉDUCATION

Couverture : Mélissa Chalot
Maquette intérieure : Mélissa Chalot
Mise en pages : Typo-Virgule
Illustrations : Thérèse Bonté
Édition : Laurence Lesbre

ISBN : 978-2-01-701350-1
© Hachette Livre 2017.

Achevé d'imprimer en Janvier 2022 en Espagne par Unigraf
Dépôt légal : Octobre 2017 - Édition 12 - 74/2259/6

Les personnages de l'histoire

Jamais, ni pour Noël, ni pour aucun anniversaire, la cuisine n'avait connu un tel chantier. Mais Halloween est une fête qui demande une intense préparation. Heureusement Sami et Julie sont venus prêter main-forte à Papa.

– Maintenant, je peux allumer la bougie ? demande Sami.

– Non, non, attends la nuit, répond Papa.

Julie trépigne, Maman devrait déjà être là pour les maquiller. Elle avait promis de rentrer tôt.

– Dépêche-toi, Maman, on est en retard ! dit Julie. Sami, ne touche pas à mes araignées ! Gare à tes vieux os, squelette de malheur !

– Oh, là, là, vous avez fait un travail admirable, bravo ! s'extasie Maman.

– Mais ma chérie, tu n'as encore rien vu, je vais préparer un dîner d'Halloween, dont vous vous souviendrez longtemps ! renchérit Papa.

– Pour le maquillage, c'est moi d'abord ! bafouille Sami la bouche pleine.

8

Si Maman est la championne du monde de maquillage, les faces de squelette ne sont pas sa plus grande spécialité…

– Tremblez, pauvres mortels, tremblez ! dit Sami d'une voix caverneuse.

Le seul qui se met à trembler de tous ses poils c'est le malheureux Tobi qui ne reconnaît plus Sami.

– Arrête, tu effraies Tobi, crie Julie.

– Mais mon Tobi, n'aie pas peur, c'est Sami le rassure Maman.

C'est enfin au tour de Julie ! Maman s'applique, mais impatiente, Julie ne cesse de gesticuler.

– Tu n'oublies pas la dent avec le sang qui coule ! dit Julie.

– Reste tranquille, on dirait un ouistiti déchaîné…

– Oui, mais les copains vont arriver et je ne serai pas prête ! Maman ajoute une dernière petite goutte de sang puis, sous les applaudissements, Miss Vampirette salue le squelette.

Assurément, la troupe d'hurluberlus qui pénètre dans l'appartement de Sami et Julie est franchement comique.

– Trop super ! s'écrient Sami et Julie. Vous êtes trop bien !

– C'est quoi ce bruit ?
s'inquiète Sami. Chut Tobi,
on n'entend rien.
– Tom n'est pas là ?
s'étonne Julie.
– Bah, on a dû le perdre
en route, dit Basile.

Soudain, comme un diable sortant de sa boîte, un fantôme hilare bondit de la cuisine.

– Surprise ! Je vous ai bien eus ! dit Tom.

– Ben, tu es passé par où ? demande Julie ahurie.

– À travers le mur, comme tous les fantômes, répond Papa.

– N'importe quoi, c'est toi qui l'as fait entrer, dit Sami à moitié rassuré.

Basile trouve son panier beaucoup trop rikiki pour tous les bonbons qu'il a l'intention de récolter...

15

16

Vite, il est grand temps de commencer la collecte des friandises. D'un pas décidé, Miss Vampirette ouvre la marche suivie par la joyeuse troupe.

– D'abord, on sonne chez Lucas, le voisin, dit Julie.

– Julie, ne commence pas à nous commander, on sonne partout et puis c'est tout, répond Sami.

– Basile, arrête de tirer sur mes papiers, tu es en train de tout déchirer ! râle Léo.

– Mes petits amis, je vous attendais, dit la Maman de Lucas en ouvrant sa porte. Le pauvre, est au fond de son lit avec la grippe. Tenez, partagez-vous tout ça ! Soyez équitables, il doit y en avoir pour tout le monde !

– Surtout pour moi, dit Basile.

– Merci Madame, répètent tous les enfants.

N'écoutant que son grand cœur, Sami laisse quelques chocolats pour Lucas. « C'est pour quand il sera guéri » se dit-il attendri.

Devant sa loge, Monsieur Raymond attend les enfants de pied ferme. Il leur a concocté une petite surprise.

– Tenez, les amis ! C'est un peu bizarre, mais il paraît que c'est très bon !

– Aaaah ! C'est horrible, s'écrie Léna dégoûtée.

– C'est Halloween, Mademoiselle ! répond Monsieur Raymond tout content de sa blague.

La petite bande arrive devant la maison de madame Delatortue, la vétérinaire. Chez elle, pas une bestiole qui ne trouve assistance, soin et réconfort.

– Oh, là, là mes pauvres enfants, j'aperçois une momie bien mal en point. Suivez-moi, une vétérinaire doit être capable de faire face à toutes sortes d'urgences, même les plus farfelues...

– Mais, on venait juste pour les bonbons, s'excuse Julie.

23

L'intervention médicale
est en cours :

– Tourne doucement, Sami
et ne serre pas trop fort...
dit madame Delatortue.

– Pas la tête, supplie Léo, pas
la tête... J'ai besoin de respirer !

– Voilà ! Un bon morceau de spara-
drap et il n'y paraîtra plus, mon
lapin ! conclut madame Delatortue.

Léo n'a plus qu'une idée : rentrer
chez lui, enlever cet accoutrement
ridicule et enfiler son vieux pyjama
adoré...

Non contente d'être une vétérinaire hors pair, madame Delatortue, généreuse, a distribué aux enfants une abondante ménagerie sucrée.

– Délicieux, ces petits ours !

– Succulents, ces crocodiles !

– Encore des serpents !
Décidément ! dit Léna.
Je déteste les serpents !
– Oh là, là, six heures vingt,
on devait être rentrés à six heures
pile, dit Julie. Vite ça va barder !
Dépêchons-nous.

En se mettant à table ce soir-là, Sami et Julie qui ont retrouvé leurs frimousses, se sentent fatigués et… un peu barbouillés !

– Alors, c'était un bel Halloween ? demande Maman. Vous êtes contents ?

– Très contents, répond Julie.

– Et mes spaghettis, ils sont comment ? demande Papa.

– On n'a plus faim, mais plus faim du tout, avoue Sami.

– Même pas une de tes petites araignées ? suggère Papa, amusé.

As-tu bien compris l'histoire ?

1 En quoi Sami s'est-il déguisé ?

2 En quoi Julie s'est-elle déguisée ?

3 Sais-tu ce que veut dire « hurluberlus » ?

4 Qu'est-ce que les enfants utilisent pour transporter les bonbons ?

5 Qui est déguisé en momie ?

6 Pourquoi Sami et Julie n'ont plus faim au moment du repas ?

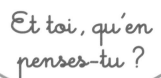

Et toi, qu'en penses-tu ?

Quel jour fête-t-on Halloween ?

As-tu déjà découpé une citrouille ?

En quoi aimerais-tu te déguiser pour Halloween ?

Es-tu déjà parti(e) à la chasse aux bonbons avec tes amis ?

Et toi, aimes-tu Halloween ?

Quelles sont tes friandises préférées ?

Aides-tu tes parents comme le font Sami et Julie ?

As-tu lu tous les Sami et Julie ?

Niveau 1
Début de CP

Niveau 2
Milieu de CP

Niveau 3
Fin de CP

Niveau CE1

hachette
ÉDUCATION